Comment mieux démarrer la journée qu'avec une tranche de pain grillée recouverte d'une belle couche de pâte à tartiner ? Le tout fait maison ? La dégustation n'en est que plus plaisante...

5 bonnes raisons de faire soi-même sa pâte à tartiner :

1 parce que c'est trop bon ! Une lichette sur un morceau de pain, le régal absolu !

2 parce que c'est vraiment très facile. Quelques ingrédients simples et, en deux temps trois mouvements, le tour est joué !

3 parce que vous dégustez votre propre recette. Non seulement vous concoctez vos mélanges préférés, mais vous savez surtout ce que vous mangez : finis les arômes artificiels, les additifs et les conservateurs.

4 parce que toutes les occasions se prêtent à la tartinade. Petit-déjeuner, brunch, goûter, apéro, dégustez vos pâtes à tartiner à toute heure de la journée. Dans du yaourt, sur des crêpes, une baguette bien fraîche ou des blinis tout chauds, un petit festin en un tour de main !

5 parce que vous aimez faire plaisir ! Confectionnez vos petits pots, étiquetez-les puis offrez de jolis petits cadeaux gourmands...

RACHEL KHOO

Je fais mes
PÂTES À TARTINER
pour réussir brunchs, goûters et apéros

PHOTOGRAPHIES DE KEIKO OIKAWA
STYLISME DE ÉLODIE RAMBAUD

LES PETITS PLATS
MARABOUT
ORIGINAUX & AUTHENTIQUES
DEPUIS L'AN 2000

sommaire

54

36

42

46

56

30

50

08

22

les bases

Confectionner sa pâte à tartiner est vraiment simple ! Voici quelques conseils pour bien commencer.

L'essentiel est d'utiliser des ingrédients de qualité. Les pâtes sont composées de peu de produits, il est important de les choisir avec soin. C'est ce qui fera toute la différence.

chocolat

Avec un chocolat de couverture ou un chocolat de bonne qualité à forte teneur en cacao, vous obtiendrez de bien meilleurs résultats qu'avec un chocolat bon marché. Le chocolat de couverture peut s'acheter sous forme de pastilles dans les magasins spécialisés ; cela vous évitera de le couper et il fondra plus facilement.

Vous pouvez bien sûr varier les chocolats : noir, blanc, au lait, aucune comparaison, mais le résultat est toujours aussi bon !

fruits à coque et graines

Noix, noisettes, amandes, noix de cajou, pistaches, cacahuètes... mais aussi graines de sésame, graines de tournesol ou graines de courge, tout marche et tout est bon dans la pâte à tartiner !

Achetez les fruits à coque entiers, non salés et sans la peau de préférence. Évitez surtout les poudres (poudre d'amande, poudre de noisette...), moins riches en goût et en huiles naturelles du fait de leur longue conservation. Avec des fruits à coque moulus par vos soins, votre pâte à tartiner sera plus riche, plus homogène et plus goûteuse.

Regardez bien la date de péremption (plus elle est lointaine, mieux c'est) et vérifiez que l'emballage est hermétiquement fermé. Conservez les sachets dans un endroit sec et frais, de préférence au réfrigérateur ou au congélateur.

Pour éviter d'avoir à mixer les fruits à coque, vous pouvez utiliser les huiles correspondantes (huile de noix, huile d'amande...). Il existe également, dans les magasins bio ou les boutiques spécialisées, des pâtes ou purées de noix qu'il suffit d'incorporer à la recette à la place des noix mixées. En général composées de noix à 100 %, il arrive cependant que certaines préparations soient déjà sucrées. Dans ce cas, diminuez la quantité de sucre de la recette ou supprimez-le, selon votre goût.

fruits et légumes

Privilégiez les fruits et légumes très frais et de saison, pour obtenir une pâte au goût intense. À défaut, achetez des fruits et légumes surgelés.

sucre

Le sucre en poudre blanc est le sucre le plus adapté à la confection du caramel, car vous pouvez surveiller la phase de caramélisation. J'aime bien aussi réaliser mon caramel avec du sucre vanillé maison.

Pour faire vous-même votre sucre vanillé, ajoutez une gousse de vanille fendue en deux dans un bocal de 500 g de sucre. Laissez reposer deux semaines en remuant le sucre deux fois par semaine environ.

Certaines recettes nécessitent l'emploi de sucre à confiture. La pectine qu'il contient est un agent épaississant naturel qui favorise la prise de la pâte à tartiner et évite qu'elle soit trop liquide. On en trouve au rayon sucre des supermarchés.

matériel et ustensiles

pots de confiture

La meilleure façon de conserver la pâte à tartiner est de la mettre en pots. En effet, les récipients en plastique et les Tupperware® gardent les odeurs et les graisses des ingrédients qu'ils contenaient précédemment, contrairement aux récipients en verre.

Les pots doivent être stérilisés pour éviter le développement de bactéries ou moisissures.

Pour stériliser vos pots, lavez-les à l'eau savonneuse et rincez-les bien. Placez-les, ouverts, dans un four à 130 °C pendant 15 à 20 minutes.

conservation

Les recettes de ce livre ne contiennent pas de conservateurs artificiels (contrairement aux pâtes à tartiner du commerce). Leur durée de conservation est donc variable.

Plus leur teneur en sucre est élevée, plus elles se gardent longtemps, car le sucre est un conservateur naturel. D'autre part, la présence de produits laitiers ou d'œufs dans la pâte à tartiner diminue sa durée de conservation.

Certaines pâtes n'ont pas besoin d'être gardées au réfrigérateur. Celles qui en sortent sont parfois un peu difficiles à étaler. N'hésitez pas à les réchauffer légèrement avant de les déguster.

mixeur

Dans certaines recettes, l'emploi d'un mixeur est requis. Un mixeur domestique ne donnera pas le même résultat qu'un mixeur professionnel car il n'est pas aussi puissant, mais vos pâtes n'en seront pas moins succulentes ! Elles auront un peu plus de texture et seront moins lisses.

Si votre robot de cuisine surchauffe quand vous mixez les fruits à coque, arrêtez-le une minute pour le laisser refroidir, sans quoi le goût et la qualité de la pâte en seront affectés.

tamis

Pour passer les fruits au tamis afin d'enlever les pépins et la peau, utilisez un sac à gelée ou une passoire fine en nylon (évitez le métal, qui a tendance à gâter la saveur du fruit). À défaut de passoire en nylon, un filtre à café en nylon fera tout aussi bien l'affaire.

pâte au chocolat classique

Est-il besoin d'en dire plus ? Je ne connais personne capable de résister à une tranche de pain grillé généreusement tartinée de pâte au chocolat. Préparée en un rien de temps, elle ravira les papilles des grands et des petits !

200 g de chocolat, coupé en petits morceaux
200 ml de crème liquide entière
50 g de beurre mou, en petits dés
1 pincée de sel

1. Portez à ébullition la crème avec le sel.

2. Versez la crème bouillante sur le chocolat et le beurre. Attendez 2 minutes avant de mélanger.

3. S'il reste des grumeaux, réchauffez doucement la pâte au bain-marie, ou bien 30 secondes au micro-ondes. Laissez prendre pendant 15 minutes.

Conservez la pâte couverte au réfrigérateur et consommez-la dans les deux semaines.

Sortez la pâte du réfrigérateur au moins 10 minutes avant de la déguster. Elle sera plus facile à étaler et meilleure à température ambiante. Si elle est encore trop dure, mettez le pot dans un saladier rempli d'eau chaude pendant quelques minutes ou réchauffez-la doucement au micro-ondes.

Si le chocolat noir n'est pas votre tasse de thé, remplacez-en la moitié par du chocolat au lait. Votre pâte aura toujours le goût riche du chocolat noir, mais sera un peu moins amère. Personnellement, c'est ainsi que je la préfère.
Si vous n'utilisez que du chocolat au lait, n'ajoutez que 180 ml de crème.
La pâte mettra un peu plus longtemps à prendre.

chocolat noir + 1 goût

chocolat - épices

200 g de chocolat noir, coupé en petits morceaux
200 ml de crème liquide entière
50 g de beurre mou, en petits dés
1 cuillère à café de cannelle moulue
½ cuillère à café de gingembre moulu
1 pincée de muscade moulue
2 capsules de cardamome écrasées
1 pincée de sel

Mettez les épices et le sel dans la crème avant de la porter à ébullition. Suivez ensuite la recette de la pâte au chocolat classique (page 8).

chocolat - moka

100 g de chocolat noir, coupé en petits morceaux
100 g de chocolat au lait, coupé en petits morceaux
140 ml de crème liquide entière
50 g de beurre mou, en petits dés
60 ml d'expresso fort
1 pincée de sel

Portez à ébullition la crème avec le café et le sel, puis suivez la recette de la pâte au chocolat classique (page 8).

chocolat - réglisse

200 g de chocolat noir, coupé en petits morceaux
200 ml de crème liquide entière
50 g de beurre mou, en petits dés
½ cuillère à café de réglisse en poudre
(dans les magasins spécialisés)
1 pincée de sel

Mélangez la réglisse et le sel dans la crème avant de la faire bouillir. Suivez ensuite la recette de la pâte au chocolat classique (page 8).

chocolat - menthe

200 g de chocolat noir, coupé en petits morceaux
200 ml de crème liquide entière
50 g de beurre mou, en petits dés
4 bonbons durs à la menthe
1 pincée de sel

Laissez mijoter la crème avec les bonbons à la menthe et le sel. Remuez souvent jusqu'à ce que les bonbons aient fondu, puis portez la crème à ébullition. Versez la crème bouillante sur le chocolat et le beurre et attendez 2 minutes avant de mélanger. Suivez ensuite les conseils de la pâte au chocolat classique (page 8).

chocolat - earl grey

100 g de chocolat noir, coupé en petits morceaux
100 g de chocolat au lait, coupé en petits morceaux
250 ml de crème liquide entière
50 g de beurre mou, en petits dés
2 cuillères à soupe de thé Earl Grey en vrac (ou 2 sachets)
1 pincée de sel

Mettez le sel et le thé dans la crème et portez à ébullition. Éteignez le feu et laissez infuser 10 minutes. Sortez les feuilles ou les sachets de thé et portez à nouveau la crème à ébullition, puis versez-en 200 ml sur le chocolat et le beurre. Attendez 2 minutes avant de mélanger. Suivez ensuite les conseils de la pâte au chocolat classique (page 8).

pâte au chocolat blanc

Le chocolat blanc ne fait pas l'unanimité chez les puristes, et certains affirment même qu'il ne s'agit pas de chocolat. Uniquement composé de sucre, de beurre de cacao, de lait et de quelques arômes, il ne contient pas de cacao. Mais il n'en est pas moins bon !

250 g de chocolat blanc, coupé
en petits morceaux
150 ml de crème liquide entière
1 pincée de sel

1. Faites fondre le chocolat au bain-marie. Remuez de temps en temps.

2. Incorporez la crème et le sel une fois que le chocolat est fondu.
S'il reste des grumeaux, remettez le récipient au-dessus de la casserole
d'eau frémissante et remuez jusqu'à ce qu'ils disparaissent.

3. Laissez prendre la pâte pendant 15 minutes au réfrigérateur.

Cette pâte se garde deux semaines au réfrigérateur.

chocolat blanc + 1 goût

chocolat blanc - vanille

250 g de chocolat blanc, coupé en petits morceaux
150 ml de crème liquide entière
1 gousse de vanille
1 pincée de sel

Fendez la gousse de vanille en deux et retirez les graines.
Dans une casserole, portez à ébullition la crème, le sel,
la gousse de vanille et les graines. Laissez infuser 10 minutes,
retirez la gousse et suivez la recette de la pâte au chocolat
blanc classique (page 12).

chocolat blanc - lavande

250 g de chocolat blanc, coupé en petits morceaux
150 ml de crème liquide entière
1 cuillère à café de lavande séchée
1 pincée de sel

Mettez la crème dans une casserole avec le sel et la lavande.
Faites bouillir et laissez infuser 10 minutes avant de passer
la crème au tamis pour enlever la lavande. Suivez la recette
de pâte au chocolat blanc classique (page 12).

chocolat blanc - matcha

250 g de chocolat blanc, coupé en petits morceaux
150 ml de crème liquide entière
2 cuillères à café de matcha
1 pincée de sel

Portez la crème à ébullition avec le sel, incorporez le matcha
et fouettez. Réservez. Suivez la recette de pâte au chocolat
blanc classique (page 12).

chocolat blanc - fève tonka

250 g de chocolat blanc, coupé en petits morceaux
½ fève tonka
150 ml de crème liquide entière
1 pincée de sel

Râpez finement la fève tonka dans la crème et ajoutez le sel,
puis faites bouillir pendant 2 minutes. Réservez. Suivez
la recette de pâte au chocolat blanc classique (page 12).

chocolat blanc - orange

250 g de chocolat blanc, coupé en petits morceaux
150 ml de crème liquide entière
le zeste d'1 orange bio ou non traitée, finement râpé
4 cuillères à soupe d'orange confite coupée en petits morceaux
1 pincée de sel

Portez la crème à ébullition avec le sel et les zestes d'orange,
puis suivez la recette de la pâte au chocolat blanc classique.
Incorporez l'orange confite hachée une fois que la pâte
a reposé 15 minutes au réfrigérateur.

chocolat - huile d'olive

Un mélange étonnant et succulent ! Choisissez une huile d'olive vierge extra extraite
en première pression, pour son goût d'olive plus prononcé et sa saveur légèrement poivrée.

200 g de chocolat (blanc ou noir)
100 ml d'huile d'olive vierge extra
1 pincée de sel

1. Mettez le chocolat et le sel dans un bol résistant à la chaleur et placez-le au-dessus d'une casserole d'eau frémissante. Remuez de temps en temps jusqu'à ce que le chocolat fonde.

2. Versez lentement l'huile d'olive sur le chocolat tout en mélangeant.

3. Versez la pâte dans un pot stérilisé et fermez. Elle prendra en 30 minutes au réfrigérateur ou en 2 heures à température ambiante.

Elle se conserve environ une semaine dans un placard à l'abri de la lumière et de la chaleur.

L'huile de noix, de pistache ou de noisette se combinent également très bien avec le chocolat. Elles aromatisent la pâte, en vous évitant le travail fastidieux de moudre les fruits à coque. Autre avantage : elles permettent de confectionner des pâtes adaptées aux personnes souffrant d'allergies aux produits laitiers.

pâte choco-noisette
la version maison de la « star » des pâtes à tartiner

Tout le monde connaît la célèbre pâte à tartiner italienne au chocolat et à la noisette. Contrairement à celles que l'on trouve au supermarché, celle-ci est beaucoup plus chocolatée et ne contient ni conservateurs ni arômes artificiels.

150 g de noisettes entières (ou autres fruits à coque), sans la peau

150 g de chocolat (noir, au lait ou blanc)

2 cuillères à soupe d'huile de tournesol

2 cuillères à soupe de sucre glace

½ cuillère à café d'extrait pur de vanille

1 pincée de sel

1. Préchauffez le four à 180 °C. Répartissez les noisettes sur une plaque et faites-les griller pendant 10 minutes, jusqu'à ce qu'elles soient dorées. Laissez-les refroidir un peu.

2. Pendant ce temps, faites fondre le chocolat au bain-marie, en remuant de temps en temps.

3. Mixez les fruits à coque dans un robot de cuisine jusqu'à l'obtention d'une consistance fine. Ajoutez l'huile, le sucre, la vanille et le sel, puis continuez à mixer jusqu'à l'obtention d'une pâte homogène.

4. Mélangez le chocolat avec la préparation obtenue.

Non entamée, cette pâte à tartiner se conserve deux semaines dans un endroit frais à l'abri de la lumière. Assurez-vous que le pot est stérilisé et que le couvercle est hermétiquement fermé. Conservez au réfrigérateur après ouverture.

Il n'y a pas que les noisettes : amandes, noix de macadamia, cacahuètes, pistaches, noix de cajou… Toutes les noix se marient à merveille au chocolat ! N'hésitez pas non plus parfumer cette pâte de zestes d'orange, de cannelle, de gingembre, etc.

option « sans mixeur »

À défaut de mixeur, vous pouvez remplacer les fruits à coque par une purée de fruits à coque. Vous en trouverez une grande variété (purée d'amande, de noisette, de noix de cajou, de cacahuète, etc.) dans les magasins bio. S'il s'agit d'une purée composée de fruits à coque à 100 %, suivez la recette en remplaçant simplement les fruits à coque par autant de purée.
Il arrive que les purées contiennent aussi du sucre, du sel ou de la vanille.
Dans ce cas, mélangez simplement la purée et le chocolat fondu avec 2 cuillères à soupe d'huile de tournesol.

praliné

L'alliance des fruits à coque et du chocolat est déjà parfaite, mais avec du caramel en prime, le résultat est carrément divin ! Le pralin ajoute aussi une délicieuse note croustillante à la pâte.

100 g de chocolat noir, coupé
en petits morceaux
150 ml de crème liquide entière
1 pincée de sel

pralin
150 g de sucre
50 ml d'eau
100 g de noisettes mondées
100 g d'amandes mondées

1. Pour préparer le pralin, faites fondre le sucre dans l'eau dans une grande casserole. Ajoutez les noisettes et les amandes quand le mélange commence à bouillonner. Remuez sans cesse pendant 10 à 15 minutes pour empêcher qu'elles collent au fond et brûlent. Une fois que le mélange a pris une couleur de caramel doré foncé, étalez-le sur une grande plaque tapissée de papier sulfurisé. Laissez refroidir 15 minutes.

2. Pendant ce temps, portez la crème à ébullition avec le sel, puis versez-la sur le chocolat et attendrez 2 minutes avant de mélanger. Réservez.

3. Cassez le pralin en trois morceaux et mixez-les les uns après les autres jusqu'à l'obtention d'une fine poudre. Si vous préférez une pâte plus croustillante, mixez moins longtemps.

4. Mélangez le pralin avec la pâte au chocolat.

Conservez couvert au réfrigérateur pendant deux semaines environ.

chocolat crunchy

Pour un effet crunchy, rien de plus simple : un rouleau à pâtisserie, un sac et l'ingrédient croquant de votre choix, et le tour est joué ! Barres de céréales miel-sésame, Maltesers®, caramels, biscuits, fruits à coque hachés, éclats de fèves de cacao, riz soufflé... faites-vous plaisir !

chocolat noir / au lait

200 g de chocolat, coupé
en petits morceaux

200 ml de crème liquide entière

50 g de beurre mou, en petits dés

1 pincée de sel

ou

chocolat blanc

250 g de chocolat, coupé
en petits morceaux

150 ml de crème liquide entière

1 pincée de sel

150 g de l'ingrédient croquant
de votre choix : nougatine, biscuits,
barres de céréales, boules de chocolat, etc.

Pour le chocolat noir ou au lait

1. Faites bouillir la crème avec le sel.

2. Versez la crème sur le chocolat et le beurre. Attendez 2 minutes avant de remuer.

Pour le chocolat blanc

1. Faites fondre le chocolat dans un bol résistant à la chaleur placé au-dessus d'une casserole d'eau frémissante. Remuez de temps en temps.

2. Incorporez la crème et le sel. S'il reste des grumeaux dans la pâte, réchauffez-la doucement au bain-marie. Réfrigérez pendant 10 minutes.

Pour les 2 versions

3. Pendant ce temps, placez l'ingrédient croquant dans un sac de congélation, enveloppez le sac dans un torchon puis écrasez le tout avec un rouleau à pâtisserie jusqu'à l'obtention de petits morceaux.

4. Incorporez-les dans la pâte à tartiner refroidie.

beurre de cacahuète
fruits à coque et autres graines

J'ai grandi en mangeant des sandwiches au beurre de cacahuète et au miel. Non seulement c'est un régal, mais en plus les fruits à coque sont bourrés d'oméga-3.

Essayez aussi les graines (sésame, citrouille, tournesol...), tout aussi nutritives ! Dans la cuisine moyen-orientale, la pâte de sésame – le tahini – est très utilisée, dans le houmous ou les pâtisseries.

280 g de cacahuètes (ou autres fruits à coque, ou graines) décortiquées, non salées

4 cuillères à soupe d'huile de tournesol (peut-être un peu plus)

1 cuillère à café de miel ou de sirop d'érable (ou à votre goût)

½ cuillère à café de sel (ou à votre goût)

1. Faites griller les cacahuètes sur une plaque pendant 10 minutes dans un four à 180 °C. Laissez refroidir.

2. Réduire les cacahuètes en fine poudre dans un robot de cuisine, puis ajoutez le sel, le miel ou le sirop et l'huile.

3. Continuez à mixer et ajoutez de l'huile si nécessaire pour obtenir une pâte qui s'étale facilement. Raclez le fond et les côtés du mixeur pour que les ingrédients soient bien mélangés.

4. Si vous préférez une texture plus croquante, ajoutez une poignée de fruits à coque hachés dans la pâte à la fin.

Il est préférable de conserver cette pâte dans un récipient hermétique au réfrigérateur.

Les cacahuètes ne sont qu'une option parmi d'autres : amandes, noix de macadamia, noix du Brésil, noisettes, noix de cajou, pistaches… les possibilités sont infinies.
Selon la qualité et le type de fruits à coque ou de graines que vous utilisez, il vous faudra mettre plus ou moins d'huile de tournesol. Ajustez la quantité au fur et à mesure.

crème de marrons

Je suis tombée amoureuse de la crème de marrons lors de mon premier voyage à Paris. À l'époque, ça me paraissait exotique, j'ai tout de suite eu envie de goûter. J'ai testé dans une crêpe... un délice !

200 g de châtaignes, en bocal, surgelées ou en boîte

1 gousse de vanille, fendue en deux

180 ml de crème liquide entière

30 g de cassonade

1 ½ cuillère à soupe de cognac (facultatif)

1. Raclez la gousse de vanille pour en extraire les graines et mettez-les avec la gousse et la crème dans une casserole. Ajoutez les autres ingrédients.

2. Laissez mijoter à petit feu pendant 15 minutes, en remuant de temps en temps.

3. Laissez refroidir, sortez la gousse de vanille puis mixez jusqu'à l'obtention d'une pâte homogène. Si la pâte vous semble trop épaisse et dure, rajoutez un peu de crème.

La crème de marrons se conserve couverte au réfrigérateur pendant au moins deux semaines.

nougat à tartiner

Le croquant des fruits à coque, la saveur sucrée du miel et la texture du nougat...
une pâte à déguster à la petite cuillère !

50 g d'amandes, décortiquées
et non salées

50 g de noisettes, décortiquées
et non salées

30 g de pistaches, décortiquées
et non salées

150 g de miel

2 blancs d'œufs

20 g de cerises confites

1. Faites griller les amandes et les noisettes (pas les pistaches) pendant 10 minutes dans un four à 180 °C. Laissez refroidir.

2. Faites chauffer le miel dans une casserole à feu moyen, jusqu'à 115 °C. Pour tester la température sans thermomètre à sucre, déposez une cuillère à café de miel chaud dans de l'eau froide. Il doit former une boule souple.

3. Pendant ce temps, montez les blancs d'œufs en neige. Ajoutez lentement le miel (à 115 °C) sans cesser de battre. Continuez à battre à vitesse élevée pendant environ 6 minutes, jusqu'à ce que le mélange prenne.

4. Hachez grossièrement les fruits à coque et les cerises puis incorporez-les dans la préparation au nougat.

Il est préférable de déguster cette pâte immédiatement, car elle perdra du volume avec le temps.

confiture de lait, l'originale

Personne ne connaît l'origine exacte de la confiture de lait car elle est très utilisée à la fois dans la cuisine française et dans la cuisine sud-américaine (connue sous le nom de « dulce de leche »). Une chose est sûre, c'est qu'on devient vite accro !

1 litre de lait entier
300 g de sucre
1 gousse de vanille, fendue en deux
½ cuillère à café de fleur de sel

1. Mettez le lait, le sucre, le sel, les graines et la gousse de vanille dans une grande casserole.

2. Sur feu moyen, fouettez sans cesse jusqu'à ébullition complète. Baissez le feu pour que la préparation frémisse à peine et poursuivez la cuisson sans couvrir pendant 1 heure 30, en remuant régulièrement. Dans le doute, baissez le feu - le lait ne doit pas bouillir, une peau risque sinon de se former à la surface.

3. Vérifiez la consistance de la confiture au bout de 1 heure 30. Le lait doit avoir réduit et pris une couleur caramel clair. Stoppez la cuisson plus tôt pour un caramel liquide, prolongez-la pour une confiture plus épaisse, à étaler ou à utiliser dans des biscuits fourrés. Sachez qu'elle continuera à épaissir en refroidissant.

La confiture se conserve deux semaines environ au réfrigérateur.

confiture de lait, la recette facile

400 g de lait concentré sucré
1 gousse de vanille, fendue en deux
½ cuillère à café de sel

1. Versez le lait concentré dans un plat en verre peu profond. Incorporez les graines de vanille et le sel. Couvrez bien de papier aluminium.

2. Préparez un bain-marie en plaçant le plat couvert dans un second plat plus grand et enfournez pour 2 heures à 220 °C.

3. Sortez la confiture du four - elle doit être d'une jolie couleur caramel foncé -, et laissez refroidir.

caramel à tartiner

Cette recette ressemble à la confiture de lait, mais elle est beaucoup moins longue à préparer ! N'hésitez pas à customiser votre caramel avec les épices et les goûts que vous aimez (voir page 34).

225 g de sucre
100 ml d'eau
100 g de beurre mou, en petits dés
125 ml de crème liquide entière
1 pincée de sel

1. Mettez le sucre et l'eau dans une grande casserole et faites chauffer doucement, en remuant de temps en temps, jusqu'à ce que le caramel soit doré.

2. Ajoutez la crème et le sel. Faites attention car le caramel risque d'éclabousser.

3. Portez à ébullition puis laissez cuire à gros bouillons pendant 5 minutes, en remuant toutes les minutes environ. Vous devez obtenir un caramel épais et sombre, brun doré. Surveillez-le une fois qu'il commence à colorer car il peut brûler très rapidement.

4. Une fois que la préparation a pris la bonne couleur (doré foncé mais pas noir) et une consistance épaisse, retirez-la immédiatement du feu et continuez à remuer jusqu'à ce qu'elle ne soit plus qu'à léger frémissement. Laissez reposer 10 à 15 minutes au réfrigérateur.

5. Battez le beurre jusqu'à ce qu'il soit crémeux puis incorporez-le au caramel refroidi.

6. Versez le caramel dans un pot stérilisé.

Cette pâte se conserve environ deux semaines au réfrigérateur.

Si le caramel est trop dur, réchauffez-le doucement avant de le déguster, au bain-marie ou 30 secondes au micro-ondes.

caramel + 1 goût

caramel au beurre salé

225 g de sucre
100 ml d'eau
100 g de beurre
125 ml de crème liquide entière
1 cuillère à café de fleur de sel

Suivez la recette du caramel classique (page 32),
en ajoutant la fleur de sel avec la crème.

caramel pomme - calva

225 g de sucre
100 ml d'eau
100 g de beurre
100 ml de jus de pomme
25 ml de calvados
1 pincée de sel

Suivez la recette du caramel classique (page 32). Ajoutez
le jus de pomme et le calvados à la place de la crème.

caramel goût pain d'épices

225 g de sucre
100 ml d'eau
100 g de beurre
125 ml de crème liquide entière
1 cuillère à café de cannelle moulue
½ cuillère à café de gingembre moulu
¼ de cuillère à café de clou de girofle moulu
¼ de cuillère à café de coriandre moulue
¼ de cuillère à café de muscade moulue
1 pincée de sel

Suivez la recette du caramel classique (page 32).
Incorporez les épices à la fin.

caramel aux agrumes

225 g de sucre
125 ml d'eau
100 g de beurre
100 ml de jus d'agrumes fraîchement pressés
le zeste de 1 agrume
1 pincée de sel

Suivez la recette du caramel classique (page 32),
mais ajoutez le jus à la place de la crème. Incorporez
le zeste dans le caramel à la fin.

caramel au whisky

225 g de sucre
100 ml d'eau
100 g de beurre
100 ml de crème liquide entière
25 ml de whisky
1 pincée de sel

Suivez la recette du caramel classique (page 32).
Ajoutez le whisky en même temps que la crème.

caramel à la noix de coco

225 g de sucre
100 ml d'eau
225 ml de lait de coco
1 pincée de sel
3 cuillères à soupe de copeaux de noix de coco (facultatif)

Suivez la recette du caramel classique (page 32).
Ajoutez le lait de coco à la place de la crème et n'ajoutez
pas de beurre. Parsemez de copeaux de noix de coco
avant de servir.

lemon curd
et autres curds d'agrumes

Les curds sont des crèmes à tartiner sucrées généralement à base d'agrumes ; ils sont composés d'œufs battus, de sucre, de jus et de zeste de fruits, que l'on cuit à petit feu jusqu'à épaississement puis que l'on fait refroidir, pour obtenir une texture souple, homogène, aux saveurs intenses.

3 citrons (ou 4 citrons verts
ou 1 pamplemousse rose moyen
ou 2 oranges), bio ou non traités

200 g de sucre

3 œufs

100 g de beurre mou, en petits dés

1 pincée de sel

1. Prélevez le zeste des agrumes puis pressez-les (vous devez obtenir environ 130 ml de jus). Dans une casserole moyenne, mélangez au fouet le jus, le sucre, les œufs et le sel. Ajoutez le beurre et mettez la casserole sur feu doux ; fouettez sans cesse jusqu'à ce que le beurre fonde.

2. Augmentez le feu et faites cuire sans cesser de fouetter, jusqu'à ce que le mélange épaississe et commence à prendre la consistance d'une gelée. Le curd est prêt quand il nappe le dos d'une cuillère.

3. Passez immédiatement le curd au tamis, puis versez-le dans un récipient hermétique ou un pot stérilisé.

Le curd se conserve pendant trois semaines environ au réfrigérateur.

lemon curd miel - cardamome

Pour cette délicieuse variante au goût épicé et parfumé, remplacez 50 g de sucre par 50 g de miel.
Au moment de mélanger tous les ingrédients dans la casserole, ajoutez 3 capsules de cardamome écrasées.

curd de framboise au poivre noir

Le parfum du poivre noir se marie à merveille avec les framboises. Utilisez du poivre en grains pour savourer ce mariage intense.

Une variante pour les fanas d'épices : le poivre long ! Épice essentielle dans l'antiquité, on lui préféra plus tard le poivre noir, rond. Moins piquant, son parfum doux rappelle celui de la réglisse.

300 g de framboises, fraîches
ou surgelées

2 cuillères à soupe d'eau

200 g de sucre

3 œufs

1 cuillère à café de poivre noir
fraîchement moulu

100 g de beurre mou, en petits dés

1 pincée de sel

1. Dans une casserole, mélangez les framboises, l'eau, le sucre, les œufs, le poivre et le sel. Une fois que les framboises se défont un peu et que le mélange commence à bouillonner, ajoutez le beurre. Continuez à fouetter sur feu doux jusqu'à ce que le beurre soit fondu.

2. Augmentez le feu et remuez sans cesse, jusqu'à ce que le mélange épaississe et prenne la consistance d'une gelée. Le curd doit napper le dos d'une cuillère.

3. Passez immédiatement le curd au tamis, puis versez-le dans un récipient hermétique ou un pot stérilisé.

Le curd se conserve pendant trois semaines environ au réfrigérateur.

curd de fruit de la passion

6 gros fruits de la passion

200 g de sucre

3 œufs

100 g de beurre mou, en petits dés

1 pincée de sel

1. Ouvrez les fruits de la passion, prélevez la pulpe et les graines et mettez-les dans une casserole avec le sucre, les œufs et le sel. Mélangez au fouet, puis placez sur feu doux.

2. Suivez ensuite la recette du curd de framboise, sans toutefois passer la préparation au tamis à la fin.

confiture de coco « Kaya »

« Kaya » est le nom malaisien de la confiture de coco, très populaire en Asie du Sud-Est. On le sert tartiné sur des toasts au petit-déjeuner, mélangé avec du riz au lait ou étalé sur des gâteaux.

½ gousse de vanille
200 ml de lait de coco
4 jaunes d'œufs
200 g de cassonade
1 pincée de sel

1. Raclez les graines de vanille et mettez-les dans une casserole avec la gousse et tous les autres ingrédients. Mélangez bien.

2. Placez la casserole sur feu doux et faites cuire pendant 15 à 20 minutes en remuant sans cesse, jusqu'à ce que le mélange épaississe.

3. Passez immédiatement la préparation au tamis.

4. Laissez refroidir un peu avant de verser dans un récipient hermétique ou un pot stérilisé.

Le « kaya » se conserve environ trois semaines au réfrigérateur.

sirop de liège

Le véritable sirop de Liège est produit dans la région de Liège en Belgique. Le sirop de caramel épais à la pomme et à la poire que je vous propose se rapproche beaucoup de l'original.

1 kg de poires
500 g de pommes
50 ml d'eau
1 gousse de vanille, fendue en deux
200 g de sucre
1 pincée de sel

1. Coupez les poires et les pommes en huit en gardant les trognons et la peau. Mettez-les dans une grande casserole avec tous les ingrédients sauf le sucre. Faites cuire à feu doux pendant 1 heure à couvert. Remuez de temps en temps.

2. Passez la préparation au tamis. Ne pressez pas trop, sinon vous obtiendrez une compote de fruits.

3. Mettez le jus obtenu dans une grande casserole avec le sucre. Laissez mijoter 30 minutes à feu doux : le jus doit prendre une consistance sirupeuse. Il épaissira en refroidissant, veillez donc à ne pas le faire cuire trop longtemps.

4. Versez le sirop dans un pot stérilisé et fermez hermétiquement.

Non entamé, ce sirop se garde au moins six mois, à l'abri de la lumière. Une fois ouvert, il se conservera un mois au réfrigérateur.

sirop de prune au romarin

Remplacez les poires par 1 kg de prunes et la vanille par 2 brins de romarin. Suivez ensuite la recette du sirop de liège.

sirop de cerise au basilic

Remplacez les poires et la vanille par 600 g de cerises surgelées dénoyautées et 1 bouquet de basilic. Suivez ensuite la recette du sirop de liège en ajoutant 100 g de sucre.

tourbillon choco - guimauve

La pâte de guimauve est peu commune en France, mais on la trouve beaucoup aux États-Unis, étalée sur du pain, des biscuits, des gâteaux, etc. Je la préfère mélangée avec du chocolat noir, qui contrebalance son goût sucré.

pâte au chocolat

200 g de chocolat noir, coupé
en petits morceaux

200 ml de crème liquide entière

50 g de beurre mou, en petits dés

1 pincée de sel

pâte à la guimauve

150 g de guimauve

60 g de beurre

60 ml de crème liquide entière

1. Pour le chocolat, portez la crème à ébullition avec le sel. Versez la crème bouillante sur le chocolat et le beurre et attendez 2 minutes avant de mélanger. S'il reste des grumeaux, réchauffez doucement la pâte au bain-marie. Une fois qu'elle est bien lisse, laissez-la reposer 15 minutes au réfrigérateur.

2. Mettez tous les ingrédients de la pâte à la guimauve dans une casserole et faites chauffer à feu moyen. Remuez sans cesse jusqu'à ce que la guimauve fonde. Une fois la pâte bien lisse, laissez-la reposer 10 minutes au réfrigérateur.

3. Lorsque les deux pâtes sont froides (mais encore un peu liquides), versez un peu de pâte au chocolat dans un pot stérilisé, puis un peu de pâte à la guimauve. Remplissez le pot en alternant les couches, puis tournez avec une baguette ou l'extrémité d'une cuillère pour obtenir un effet marbré.

Cette pâte se conserve au réfrigérateur pendant deux semaines environ.

tourbillon choco - mangue
au piment d'Espelette

Le piment d'Espelette est cultivé dans les Pyrénées-Atlantiques.
Très doux, il relève subtilement cette pâte.

pâte à la mangue

200 g de chair de mangue

120 g de sucre à confiture

2 cuillères à soupe d'eau

1 cuillère à café de piment
 d'Espelette moulu

pâte au chocolat

200 g de chocolat noir,
coupé en petits morceaux

200 ml de crème liquide entière

50 g de beurre mou, en petits dés

1 pincée de sel

1. Mélangez la mangue, le sucre, l'eau et le piment d'Espelette dans une grande casserole et couvrez quand la préparation commence à bouillir. Laissez mijoter 5 minutes avant d'éteindre le feu.

2. Mixez la préparation pour obtenir une pâte homogène, puis mettez-la au réfrigérateur pendant 10 minutes. Elle doit être froide mais pas encore prise.

3. Portez la crème à ébullition avec le sel. Versez la crème bouillante sur le chocolat et le beurre et attendez 2 minutes avant de mélanger. S'il reste des grumeaux, réchauffez doucement la pâte au bain-marie.

4. Une fois la pâte bien lisse, mettez-la au réfrigérateur pendant 10 minutes. Elle doit être froide mais pas encore prise.

5. Lorsque les deux pâtes sont froides (mais encore un peu liquides), versez un peu de pâte au chocolat dans un pot stérilisé, puis un peu de pâte de mangue. Remplissez le pot en alternant les couches, puis tournez avec une baguette ou l'extrémité d'une cuillère pour obtenir un effet marbré.

Cette pâte se conserve au réfrigérateur pendant deux semaines environ.

tourbillon chocolat blanc - framboise

La combinaison des framboises et du chocolat blanc est un régal pour les yeux, mais aussi pour les papilles ! La légère acidité des framboises se marie à la perfection avec la texture crémeuse du chocolat blanc.

pâte au chocolat blanc

130 g de chocolat blanc, coupé en petits morceaux

70 ml de crème liquide entière

1 pincée de sel

pâte à la framboise

200 g de framboises surgelées

120 g de sucre à confiture

1. Faites fondre le chocolat au bain-marie. Remuez de temps en temps, puis incorporez la crème et le sel. S'il reste des grumeaux dans la pâte, remettez le récipient au-dessus de la casserole d'eau frémissante et remuez jusqu'à ce qu'ils disparaissent.

2. Laissez refroidir 15 minutes au réfrigérateur : la pâte doit être froide mais pas encore prise.

3. Mélangez les framboises et le sucre dans une grande casserole, et couvrez quand la préparation commence à bouillir. Laissez bouillir 5 minutes avant d'éteindre le feu.

4. Laissez refroidir 15 minutes au réfrigérateur : la confiture doit être froide mais pas encore prise. Mixez-la ensuite pendant 2 minutes pour écraser une partie des pépins.

5. Versez un peu de pâte au chocolat dans un pot stérilisé, puis un peu de confiture de framboise. Remplissez le pot presque jusqu'au bord en alternant les couches. Tournez avec une baguette pour obtenir un effet marbré.

Cette pâte se conserve deux semaines environ au réfrigérateur.

tapenades

Le terme « tapenade » a pour origine le mot provençal « tapéno » qui signifie câpres ;
la véritable tapenade contient donc des câpres.

recette classique

170 g d'olives noires, dénoyautées
3 filets d'anchois, hachés
3 cuillères à soupe de câpres, rincées
½ gousse d'ail, écrasée
1 cuillère à soupe de jus de citron fraîchement pressé
1 petit bouquet de persil frais, haché
2 à 4 cuillères à soupe d'huile d'olive vierge extra
sel, poivre noir fraîchement moulu

Pour obtenir une texture grossière, écrasez simplement
tous les ingrédients ensemble, en ajoutant assez d'huile
pour former une pâte. Pour une tapenade plus homogène,
mettez l'ail, le jus de citron, les câpres et les anchois dans
le bol d'un robot et mixez 30 secondes environ. Tout en
continuant à mixer, ajoutez les olives, le persil, et assez
d'huile pour former une pâte. Assaisonnez à votre goût.
La tapenade se conserve 5 jours dans un récipient
hermétique au réfrigérateur.

tomates séchées - ricotta

150 g de ricotta
100 g de tomates séchées
3 cuillères à soupe de câpres, rincées
½ gousse d'ail, écrasée
1 cuillère à soupe de jus de citron fraîchement pressé
1 petit bouquet de persil frais, haché
½ cuillère à café de poivre noir fraîchement moulu

Mixez tous les ingrédients jusqu'à la formation
d'une pâte. Poivrez.

artichauts

100 g d'olives vertes dénoyautées
200 g de cœurs d'artichauts en boîte, égouttés et en quartiers
1 cuillère à soupe de câpres, rincés
½ gousse d'ail, épluchée et hachée
1 cuillère à soupe de jus de citron fraîchement pressé
6 cuillères à soupe d'huile d'olive vierge extra
1 pincée de piment en poudre
1 poignée de copeaux de parmesan (facultatif)
sel

Dans le bol d'un robot, mixez par à-coups l'ail, les olives,
les câpres, les cœurs d'artichauts, le jus de citron et l'huile
d'olive jusqu'à l'obtention d'une consistance presque
homogène, avec encore quelques morceaux. Goûtez
et ajoutez du sel et du piment. Servez avec des copeaux
de parmesan.

houmous

recette classique

POUR ENVIRON 200 G - PRÉPARATION 15 MINUTES

200 g de pois chiches en boîte, rincés et égouttés
½ gousse d'ail, épluchée et écrasée
quelques gouttes de jus de citron
2 à 4 cuillères à soupe d'huile d'olive vierge extra
1 cuillère à café de beurre de graines de sésame (recette page 24)
1 cuillère à café de cumin moulu
fleur de sel, poivre noir fraîchement moulu

Mixez tous les ingrédients sauf le sel et le poivre, jusqu'à l'obtention d'une pâte grossière. Salez et poivrez à votre goût. Ce houmous se conserve 5 jours dans un récipient hermétique au réfrigérateur.

poivron grillé

POUR ENVIRON 400 G - PRÉPARATION 15 MINUTES
CUISSON 40 MINUTES

125 g de pois chiches en boîte, rincés et égouttés
3 gros poivrons rouges, grossièrement hachés
un peu d'huile d'olive
½ gousse d'ail, épluchée et écrasée
1 cuillère à café de jus de citron fraîchement pressé
1 cuillère à café de beurre de graines de sésame (recette page 24)
1 cuillère à café de cumin moulu
1 pincée de sucre
fleur de sel, poivre noir fraîchement moulu

Disposez les poivrons dans un plat à four et arrosez-les d'huile d'olive. Enfournez pour 40 minutes à 200 °C. Mixez tous les ingrédients jusqu'à l'obtention d'une pâte grossière. Salez et poivrez à votre goût. Ce houmous se conserve 5 jours dans un récipient hermétique au réfrigérateur.

betterave

POUR ENVIRON 300 G - PRÉPARATION 10 MINUTES

150 g de pois chiches en boîte, rincés et égouttés
1 grosse betterave cuite (160 g)
1 gousse d'ail, épluchée et écrasée
quelques gouttes de jus de citron
2 à 4 cuillères à soupe d'huile d'olive vierge extra
1 cuillère à café de beurre de graines de sésame (recette page 24)
1 cuillère à café de cumin moulu
fleur de sel, poivre noir fraîchement moulu

Mixez tous les ingrédients jusqu'à l'obtention d'une pâte grossière. Salez et poivrez à votre goût. Il est préférable de déguster ce houmous le jour même, car la betterave perd assez rapidement sa couleur intense.

carotte

POUR ENVIRON 250 G - PRÉPARATION 15 MINUTES - CUISSON 1 HEURE

100 g de pois chiches en boîte, rincés et égouttés
2 grosses carottes, épluchées et grossièrement hachées
½ gousse d'ail, épluchée et écrasée
1 cuillère à café de jus de citron fraîchement pressé
2 à 4 cuillères à soupe d'huile d'olive vierge extra
1 cuillère à café de beurre de graines de sésame (recette page 24)
1 cuillère à café de cumin moulu
1 pincée de sucre
fleur de sel, poivre noir fraîchement moulu

Mettez les carottes dans un plat à four, arrosez-les d'huile d'olive et enfournez pour 1 heure à 200 °C. Mixez tous les ingrédients jusqu'à l'obtention d'une pâte grossière. Salez et poivrez à votre goût. Ce houmous se conserve 5 jours dans un récipient hermétique au réfrigérateur.

crème de chèvre
aux noix de macadamia

Francesca Unsworth, ma complice culinaire, préparait une version de cette recette lors de certains dîners que nous organisions ensemble à Sydney. Inutile de préciser qu'elle remportait un grand succès !

100 g de noix de macadamia,
émondées

100 g de chèvre frais

sel

poivre noir

1. Faites griller les noix de macadamia dans un four à 180 °C pendant 5 à 10 minutes, jusqu'à ce qu'elles soient dorées. Laissez-les refroidir quelques minutes avant de les mixer en poudre fine.

2. Mélangez-les avec le chèvre, puis assaisonnez de sel et de poivre.

Cette pâte se conserve cinq jours dans un récipient hermétique au réfrigérateur.

Les noix de macadamia ajoutent une saveur unique à cette pâte, mais si vous n'en trouvez pas, des amandes feront aussi l'affaire.

crème d'avocat
aux amandes

Plus simple qu'une recette traditionnelle de guacamole à l'avocat, mais tout aussi succulente !
Les amandes ajoutent une saveur subtile à cette pâte.

50 g d'amandes

1 gros avocat mûr

1 cuillère à soupe de jus
de citron vert

sel

poivre noir

1. Faites griller les amandes au four à 180 °C pendant 5 à 10 minutes, jusqu'à
ce qu'elles soient dorées. Laissez-les refroidir avant de les mixer en poudre fine.

2. Écrasez l'avocat et arrosez de jus de citron.

3. Mélangez les amandes et l'avocat jusqu'à l'obtention d'une pâte grossière.
Salez et poivrez à votre goût.

Il est préférable de déguster cette pâte immédiatement,
car l'avocat a tendance à brunir.

pâte de lentilles épicée

La merveilleuse odeur de cette pâte est irrésistible ! Pour une pâte un peu plus épicée, ajustez la quantité des épices à votre goût.

185 g de lentilles rouges

1 oignon, haché

1 gousse d'ail, écrasée

500 ml d'eau

1 cuillère à soupe d'huile d'olive

1 cuillère à soupe de curry en poudre

1 cuillère à café de cumin moulu

½ cuillère à café de piment en poudre

sel

1. Mélangez les lentilles, l'oignon et l'eau dans une casserole. Couvrez et portez à ébullition.

2. Baissez le feu et laissez mijoter 15 à 20 minutes, jusqu'à ce que les lentilles soient tendres. Sortez l'oignon, égouttez les lentilles et laissez refroidir.

3. Mettez l'huile, les épices et l'ail dans une petite poêle et faites griller le tout pendant quelques minutes jusqu'à ce que le mélange soit odorant.

4. Réduisez les lentilles et les épices en purée dans un robot jusqu'à l'obtention d'une consistance homogène. Assaisonnez à votre goût.

Cette pâte se conserve cinq jours au réfrigérateur dans un récipient hermétique.

pâté de foie de volaille

J'ai appris à apprécier le pâté de foie de volaille en vivant en France. À l'apéro, avec une baguette bien croustillante et des cornichons, il n'y a rien de meilleur !

225 g de foies de poulet, parés

90 g de beurre salé, mou

1 échalote, finement hachée

2 brins de thym

2 feuilles de laurier

2 gousses d'ail, finement hachées

2 cuillères à café de sauce Worcestershire

1 cuillère à soupe de cognac

½ cuillère à café de poivre noir, fraîchement moulu

1. Faites fondre 2 cuillères à soupe de beurre dans une grande casserole puis ajoutez l'échalote, le thym, le laurier et l'ail. Faites cuire jusqu'à ce que le mélange soit tendre mais pas bruni.

2. Ajoutez alors les foies de poulet, la sauce Worcestershire et le cognac. Faites cuire 5 minutes jusqu'à ce que les foies soient cuits mais encore rosés à cœur. Laissez reposer 5 minutes.

3. Sortez le laurier et le thym puis mixez la préparation avec le reste de beurre. Ajoutez le poivre noir et ajustez l'assaisonnement.

4. Placez au réfrigérateur pendant au moins 4 heures.

Ce pâté se conserve cinq jours au réfrigérateur dans un récipient hermétique.

anchoïade figue - noix

La recette traditionnelle de l'anchoïade agrémentée d'une note de sucré
et d'une pointe de croquant...

80 g de noix

5 anchois salés

4 figues séchées, grossièrement
hachées

le zeste d'1 orange

½ gousse d'ail, épluchée

30 ml d'huile d'olive vierge extra

1 bonne pincée de fleur de sel

1. Faites griller les noix à 180 °C pendant 15 à 20 minutes, jusqu'à ce qu'elles soient dorées.

2. Rincez les anchois et épongez-les avec du papier absorbant.

3. Mettez les anchois dans un mortier avec les noix, les figues, le zeste et l'ail. Pilez jusqu'à l'obtention d'une pâte grossière – presque en purée, mais avec des morceaux. Vous pouvez obtenir la même consistance avec un mixeur.

4. Ajoutez l'huile d'olive. Mélangez bien et assaisonnez à votre goût.

Cette pâte se conserve cinq jours au réfrigérateur dans un récipient hermétique.

rillettes de saumon fumé
au wasabi

Une pâte classique au saumon avec une petite touche japonaise, le wasabi. Connu sous le nom de « raifort japonais », sa racine est utilisée comme épice. Il s'achète sous forme de poudre ou de pâte. Ajoutez-le avec parcimonie, car il peut être très fort.

250 g de saumon fumé

200 g de fromage frais

1 cuillère à soupe de wasabi, en poudre ou en pâte

4 cuillères à soupe de graines de sésame (+ un peu pour le décor)

4 cuillères à soupe de concombre finement haché (+ un peu pour le décor)

1. Mixez le saumon fumé, le fromage frais et le wasabi jusqu'à l'obtention d'une consistance homogène. Goûtez et ajoutez du wasabi si vous le souhaitez.

2. Incorporez les graines de sésame et le concombre et mélangez à la spatule.

3. Garnissez de graines de sésame et de concombre avant de servir.

La pâte se conserve cinq jours au réfrigérateur dans un récipient hermétique.

rillettes de maquereau
au citron et aux herbes

Préparées en quelques minutes, ces rillettes sont aussi très bonnes avec du maquereau fumé au poivre noir, si vous en trouvez.

250 g de maquereau fumé, sans la peau et sans les arêtes

200 g de fromage frais

le zeste et le jus de ½ citron

2 cuillères à soupe de persil plat finement haché (+ un peu pour le décor)

2 cuillères à soupe de ciboulette finement hachée (+ un peu pour le décor)

poivre noir

1. Émiettez le maquereau.

2. Mélangez tous les ingrédients. Assaisonnez de poivre noir.

3. Pour des rillettes plus homogènes, mixez les ingrédients.

Ces rillettes se conservent cinq jours au réfrigérateur dans un récipient hermétique.

crème de petits pois
à la menthe et au citron confit

En Angleterre, les petits pois à la menthe sont une vieille tradition. Le citron confit confère à ce classique un petit quelque chose en plus.

200 g de petits surgelés
1 bouquet de menthe
1 citron confit
½ gousse d'ail
50 g de crème fraîche
sel
poivre noir

1. Faites cuire les petits pois pendant quelques minutes à l'eau bouillante salée. Égouttez-les puis rincez-les à l'eau froide pour préserver leur couleur. Hachez finement le citron confit et lavez la menthe.

2. Mixez les petits pois avec l'ail, la menthe et la crème fraîche. Goûtez, puis assaisonnez.

3. Mélangez le citron confit avec la pâte, ou bien parsemez-en de petits morceaux sur la pâte au moment de servir.

Il est préférable de déguster cette pâte le jour même, car la menthe perd progressivement sa couleur intense.

crème de haricots blancs
à la grenade

La texture onctueuse et la saveur douce des haricots blancs contrastent avec les graines de grenade qui explosent dans la bouche, croquantes et sucrées. Si vous manquez de temps, utilisez des haricots surgelés.

200 g de haricots blancs

1 grenade

½ gousse d'ail

2 cuillères à soupe de jus de citron

2 cuillères à soupe d'huile d'olive

½ bouquet de persil, finement haché

sel, poivre

1. Faites cuire les haricots à l'eau bouillante pendant 5 minutes, jusqu'à ce qu'ils soient tendres. Égouttez-les et passez-les à l'eau froide.

2. Mélangez les haricots avec l'ail, le jus de citron et l'huile d'olive jusqu'à l'obtention d'une consistance homogène.

3. Récupérez les graines de la grenade*, puis mélangez-en une partie à la pâte, avec le persil. Assaisonnez à votre goût.

4. Parsemez le reste des graines sur la pâte avant de servir.

Il est préférable de déguster cette pâte le jour même, mais on peut la conserver un ou deux jours au réfrigérateur dans un récipient hermétique.

*Pour récupérer les graines de la grenade, coupez l'extrémité supérieure du fruit, puis incisez légèrement l'écorce du haut vers le bas, cinq ou six fois. Plongez la grenade dans un saladier rempli d'eau et laissez tremper 5 minutes. Maintenez le fruit sous l'eau (pour éviter que le jus éclabousse) et détachez les sections. Détachez ensuite les graines de l'écorce et de la membrane. Les graines vont couler au fond du saladier, tandis que l'écorce et la membrane vont flotter. Récupérez les graines, égouttez-les puis séchez-les.

Remerciements

Ma famille
Paola Bjaringer
L'équipe de Marabout
Keiko Oikawa
Sten Pittet
Élodie Rambaud
Stéphanie Rondeau
Francesa Unsworth, www.francescaunsworth.com
Et bien sûr, mes amis, qui sont un soutien permanent
et une grande aide pour goûter mes recettes.

Pour une incroyable sélection d'épices :
L'épicerie de Bruno
30, rue Tiquetonne
75 002 Paris
www.lepiceriedebruno.com

Les photos de ce livre ont été prises à la Slott Galerie :
Slott Galerie
12, rue du Château Landon
75 010 Paris
http://www.exquisedesign.com/

Shopping

Weck www.techna.tm.fr
Marion Rebecca www.marionrebecca.com
Rina Menardi www.rinamenardi.com
Mud Australia www.mudaustralia.com
Merci www.merci-merci.com

© Hachette Livre (Marabout) 2010
Dépôt légal : août 2010

Imprimé en Espagne par Graficas Estella
ISBN 978-2-501-06777-5
4062121/01